狐狸家 編著

貨幣簡史

中華教育

我們幾乎每天都要買東西，可是，你知道嗎，遠古時代是沒有貨幣的，人們以物換物，別提多麻煩了！

後來，聰明的人們開始使用海貝作為一般等價物，這就是最早的貨幣。

每個地方的錢幣不一樣，統一起來會不會更方便呢？

再後來，又出現了紙幣、電子貨幣……買東西變得越來越方便。

哇，歷史原來是這樣啊！寶寶每天存一點零用錢，試着去商店自己買東西吧！

在遠古時代，世界上是沒有貨幣的。

沒有貨幣，那怎麼買東西呢？

有人想用兩隻羊換一頭牛，同樣，他也可以用兩隻羊換三堆穀子。這叫物物交換。

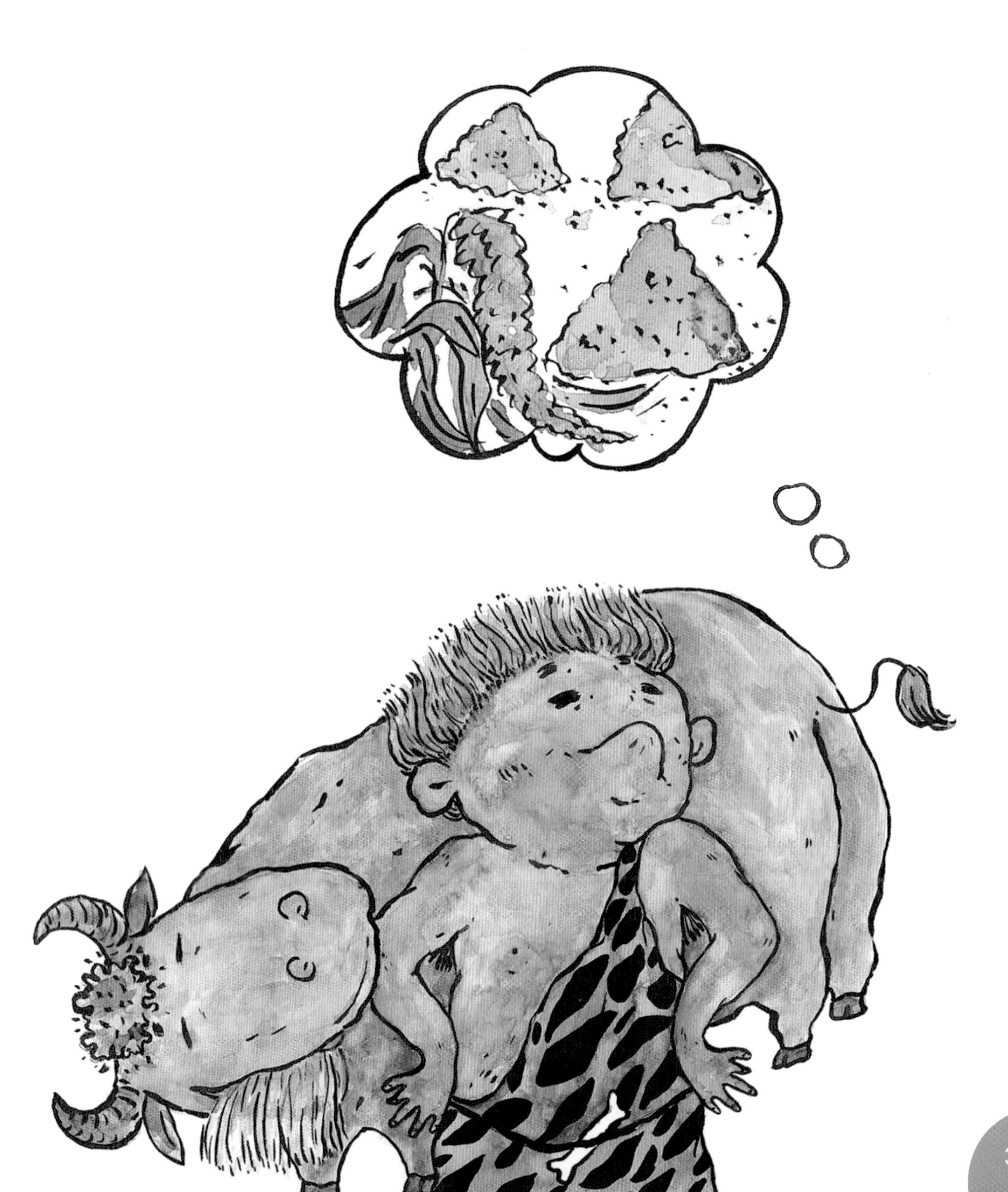

可有牛的人說：「我不需要羊，我想要三堆穀子。」

於是，有羊的人去找種穀子的人，但是又被拒絕了！原來啊，種穀子的人想要八筐魚。

可要是有魚的人也不想要羊呢？

不行，不行，這換來換去的，甚麼時候才結束啊？

後來，人們想了一個辦法，用海裏的貝殼來交換別的物品。因為海貝不容易破損，方便攜帶，而且還是漂亮的工藝品。

這就是最早的貨幣。

可是，需要交換的東西越來越多，海裏的貝殼很快就不夠用啦！

人們想到了鍛造，把青銅製成貝殼的樣子。

鐺鐺鐺！鐵錘子敲出一堆一堆的銅貝，這樣就可以用來買賣更多的東西了。這也是世界上最早的金屬貨幣。

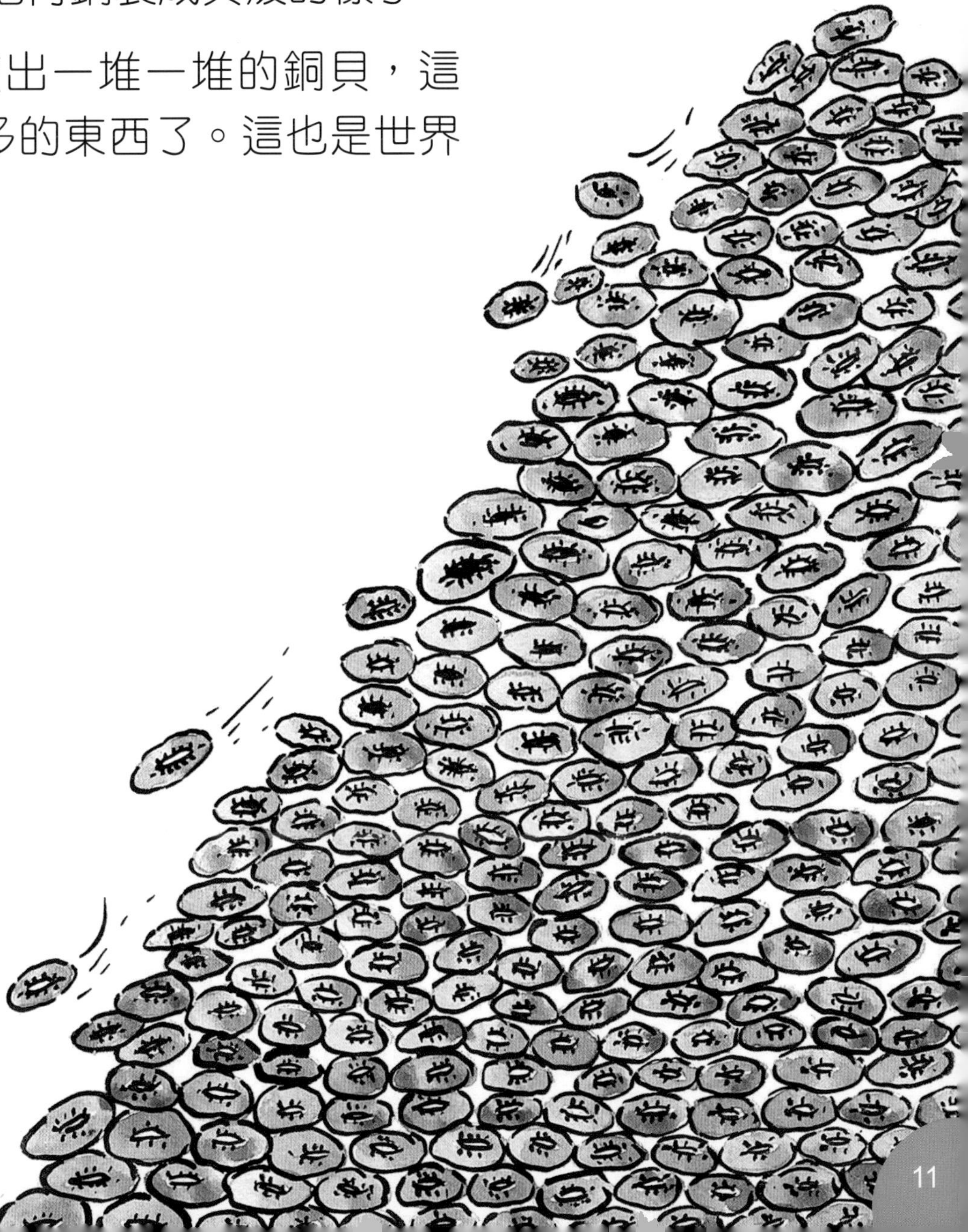

漸漸地，銅貝出現了各種奇奇怪怪的模樣。每個國家的錢幣都不一樣，大小不一樣，形狀也各不相同。

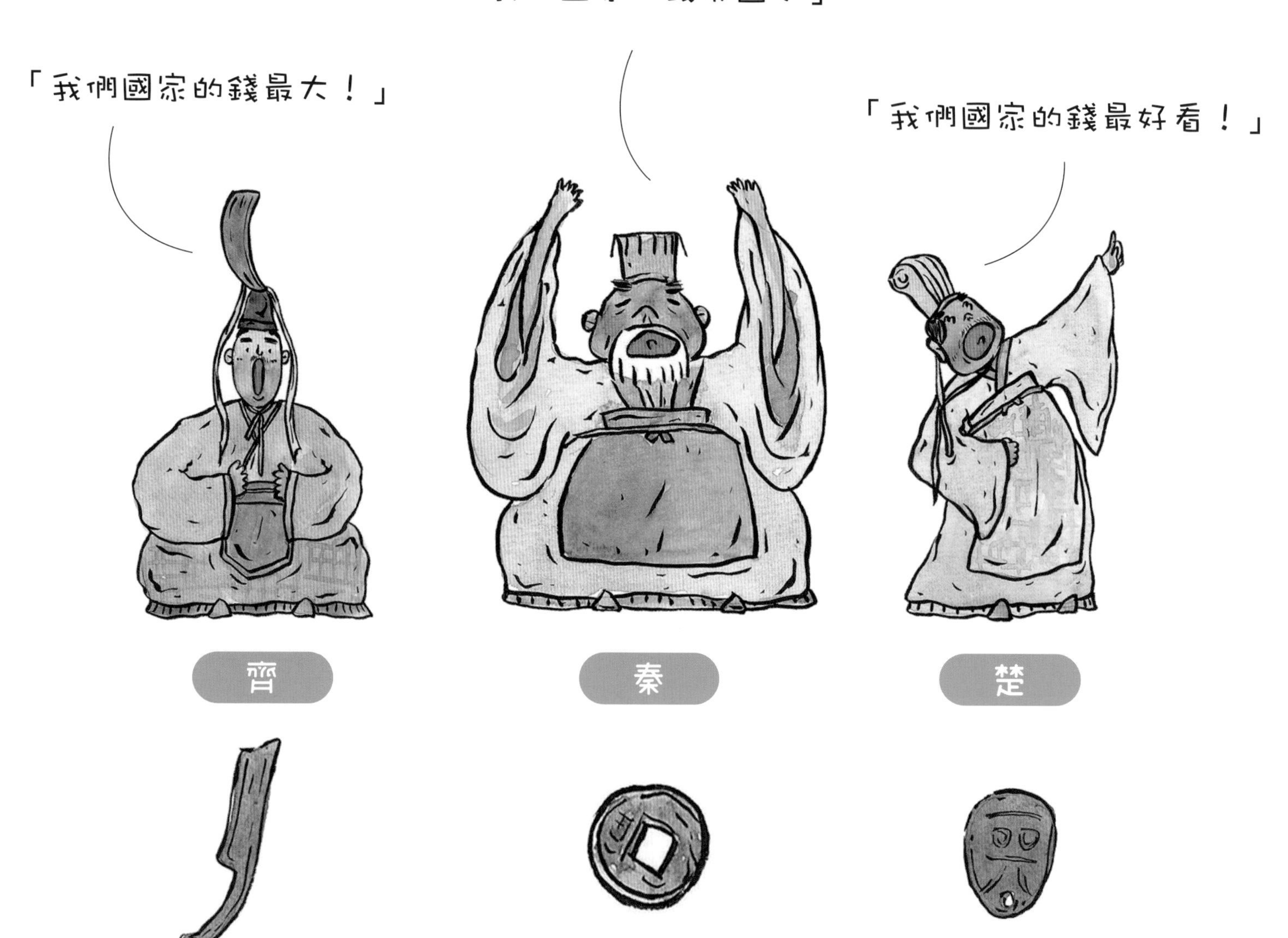

「我們國家的錢有氣派！」
「我們國家的錢更氣派！」
「我們國家的錢最氣派！」
「我們國家的錢最最氣派！」
趙
魏
燕
韓

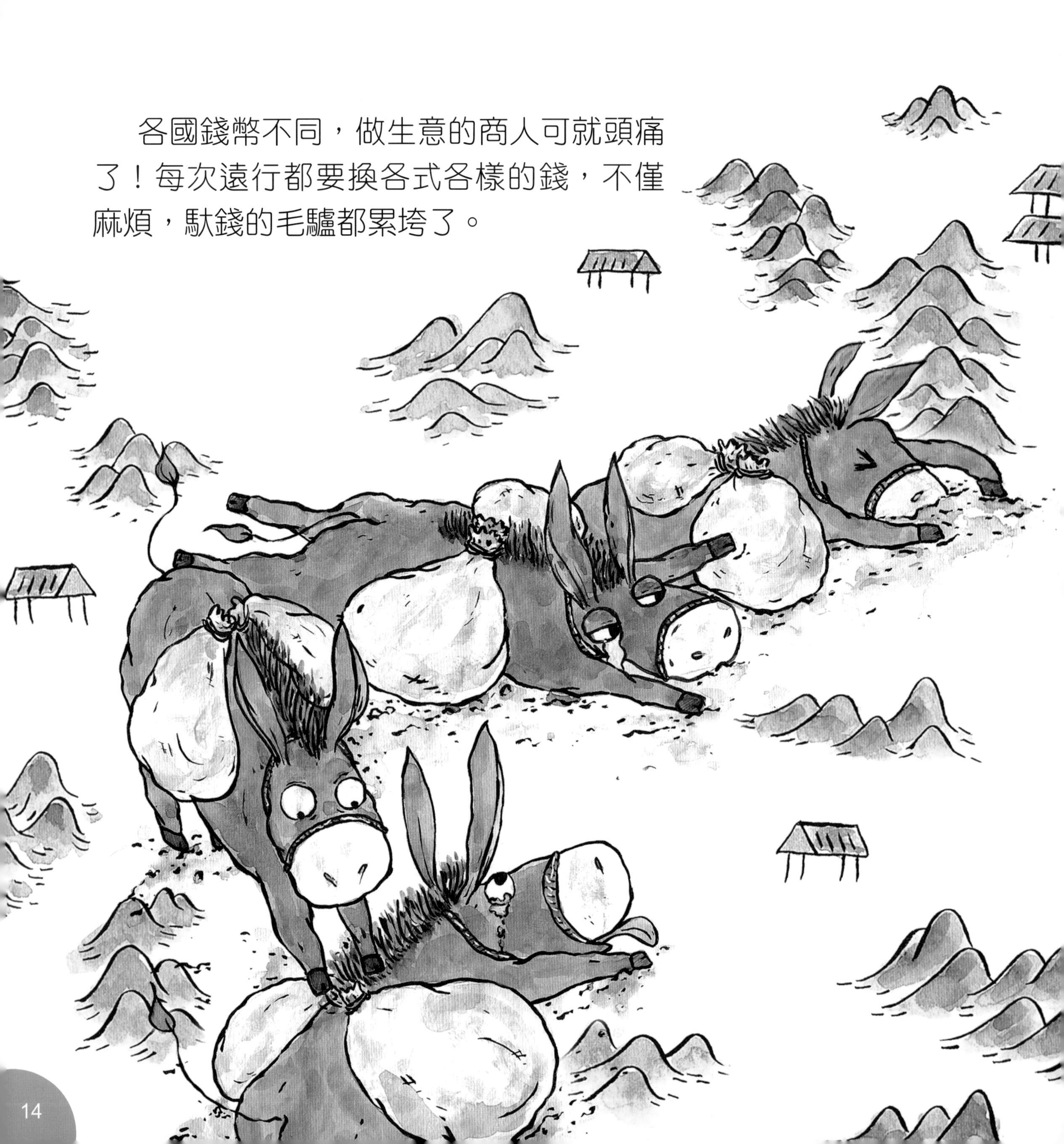

各國錢幣不同，做生意的商人可就頭痛了！每次遠行都要換各式各樣的錢，不僅麻煩，馱錢的毛驢都累垮了。

最後，秦國的王不耐煩了：「真是費事，還是我出馬，把你們這些國家都收了吧！」

這位威猛的王統一了六國，也統一了貨幣。

他的名字叫嬴政，也就是秦始皇。

秦始皇統一全國的貨幣叫「半兩錢」，是長這個樣子的。

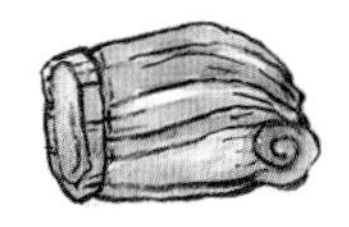

錢幣能買很多很多的東西，成為財富的象徵。
富人變得越來越富有，窮人卻連飯都吃不飽。

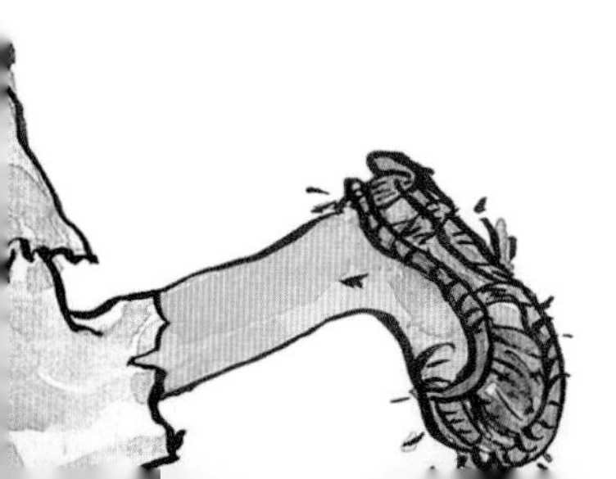

貨幣的出現，使買東西和賣東西變得越來越方便，於是完備的集市出現了。

人們在固定的時間到集市上買賣東西，被稱為「趕集」。

「官人，眼看要過年了，你去集市上把這些東西買回來。」

但是，金屬貨幣太重了。逢年過節大採購，背上錢袋子，把人累得滿頭大汗！

為了買賣方便，人們又有了新發明。我們國家最早的紙幣——交子在北宋時期誕生了。在一張特製的紙上寫上數字，就能代表有多少錢了，所以，這樣一張紙幣有時能買好多東西。

我們今天使用的貨幣就包含這種紙幣。

現在，我們出門可以連紙幣都不用帶了。錢變成了一串數字，在網絡上流通，買東西更方便了。

我們可以刷銀行卡買東西，也可以用手機支付。輕輕一掃碼，就可以買下想要的東西啦！

4.50
3.00
5.00
8.00
促銷！
3.00
3.80
6.00
香
32.00
100

我們要養成節儉的好習慣，不能亂花錢喲。

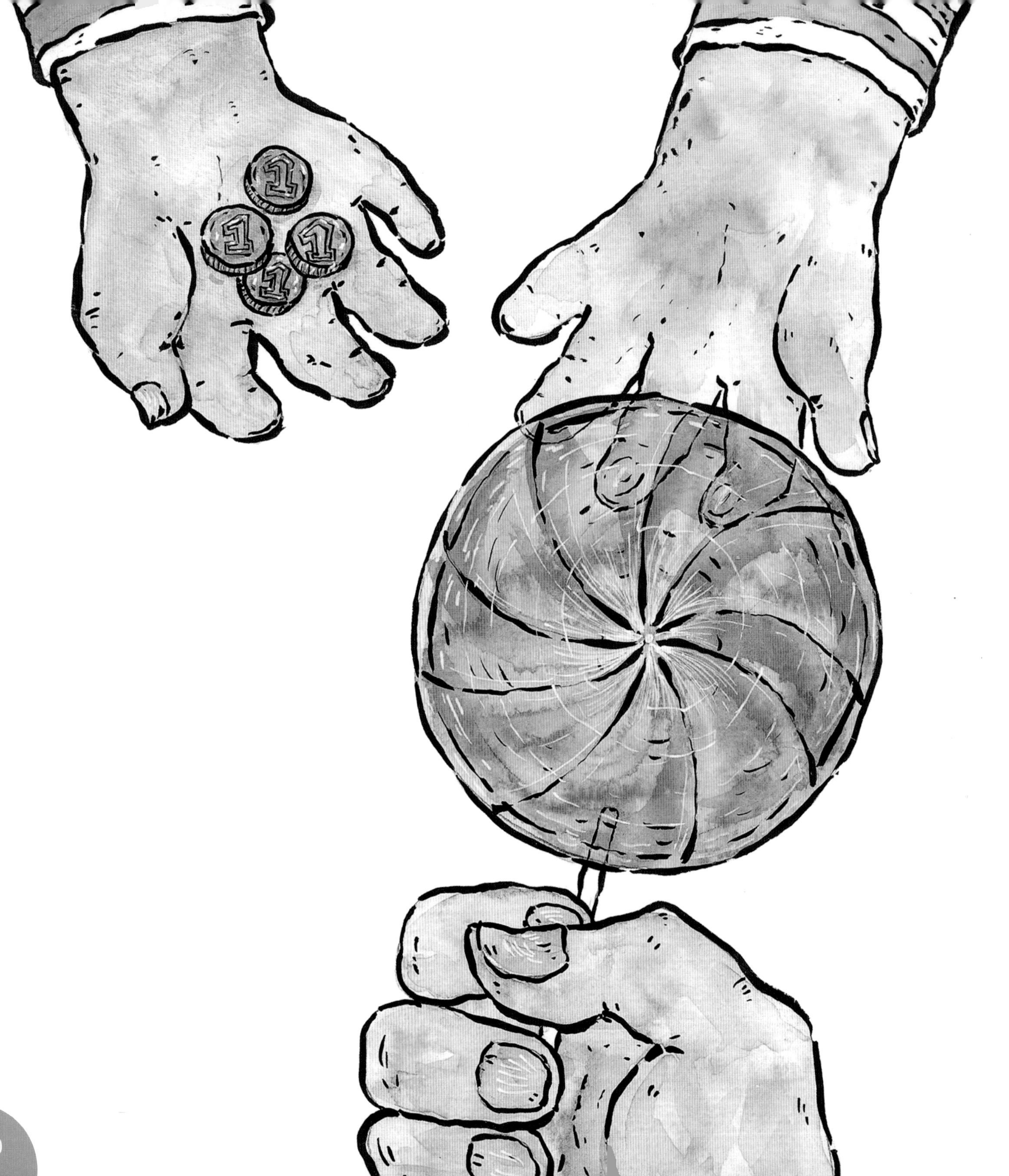

别忘了找零！

貨幣簡史

以物易物

等價交換原則

海貝

自然貨幣

金屬貨幣

銅貝

半兩錢
（秦始皇統一貨幣）

交子
（北宋時出現）

紙幣

紙幣

電子貨幣

銀行卡等

責任編輯：鍾昕恩
裝幀設計：鄧佩儀
排　　版：鄧佩儀
印　　務：劉漢舉

狐狸家　編著

出版｜中華教育
香港北角英皇道 499 號北角工業大廈 1 樓 B 室
電話：(852) 2137 2338　傳真：(852) 2713 8202
電子郵件：info@chunghwabook.com.hk
網址：http://www.chunghwabook.com.hk

發行｜香港聯合書刊物流有限公司
香港新界荃灣德士古道 220-248 號 荃灣工業中心 16 樓
電話：（852）2150 2100　傳真：（852）2407 3062
電子郵件：info@suplogistics.com.hk

印刷｜美雅印刷製本有限公司
香港觀塘榮業街 6 號海濱工業大廈 4 字樓 A 室

版次｜2021 年 11 月第 1 版第 1 次印刷

規格｜12 開（230mm x 230mm）

ISBN｜978-988-8759-97-2